Twilight Sparkle

** ✶ I ✶ **

Zaklęcie Kryształowego Serca

G.M. Berrow

EGMONT

Tytuł oryginału: *Twilight Sparkle and The Crystal Heart Spell*
HASBRO and its logo, MY LITTLE PONY and all related characters are
trademarks of Hasbro and are used with permission.
© for the Polish edition by Egmont Polska Sp. z o.o., Warszawa 2015
Wydawca prowadzący: Sylwia Sosińska
Redaktor prowadzący: Anna Kubiak
Tłumaczenie: Tomasz Klonowski
Redakcja: Katarzyna Sarna
Korekta: Marta Jamrógiewicz, Paulina Potrykus-Woźniak
Wydanie pierwsze, Warszawa 2015
Wydawnictwo Egmont Polska Sp. z o.o.
ul. Dzielna 60, 01-029 Warszawa
tel. 22 838 41 00
www.egmont.pl/ksiazki
ISBN 978-83-281-0928-5
Koordynacja produkcji: Ewa Sawicka
Łamanie: GJ-studio Grażyna Janecka
Druk: Colonel, Kraków

Dla moich trzech „kucykowych"
dziewczynek –
Rachel, Pam i Sidnie

SPIS TREŚCI

✦ ✦ ✦

ROZDZIAŁ 1

Nowa
księżniczka

✦ ✦ ✦

Wszyscy mieszkańcy Equestrii świętowali na wieść o ślubie Shining Armora, kapitana Straży Królewskiej, i księżniczki Mi Amore Cadenzy. Cadance, jak nazywali ją przyjaciele, była jedną z najpiękniejszych i najłagodniejszych klaczy.

Kucyki z Equestrii cieszyły się dostatkiem i pokojem. Także mieszkańcy niedawno odzyskanego Kryształowego Królestwa żyli spokojnie i szczęśliwie. Gałęzie drzew w sadach uginały się od jabłek, zwierzęta rozmaitych gatunków wesoło baraszkowały wśród zielonych łąk, a członkowie trzech plemion żyli w idealnej harmonii. Właśnie w tym czasie do królewskiej rodziny rządzącej Equestrią dołączyła młoda księżniczka. Wiązano z nią wielkie nadzieje. Jej koronacja była niczym soczysta wisienka na przepysznym czekoladowym torcie.

Każdy kucyk, jak kraina długa i szeroka, był niezmiernie ciekaw młodej księżniczki. Nie była to przecież zwykła, przeciętna klaczka. Prześliczny jednorożec miał jasnofioletową sierść i piękną, lśniącą grzywę w kolorze granatowym z różowymi i fioletowym pasemkami. W dodatku posiadał potężne czarodziejskie zdolności.

Nowa księżniczka nazywała się Twilight Sparkle i była naprawdę wyjątkowym kucykiem. Opowieści o jej nadzwyczajnym magicznym darze krążyły od Manehattanu aż po San Franciscolt. Jej dokonania przeszły już do legendy – szczególnie historia o tym, jak samodzielnie poskromiła groźną Małą Niedźwiedzicę lub jak ocaliła Canterlot i całe królestwo przed demoniczną królową Chrysalis. Podekscytowane kucyki zastanawiały się, jakie cuda wydarzą się za jej panowania.

Twilight również była ogromnie poruszona. Nie tylko otrzymała królewski tytuł, lecz także zdobyła coś naprawdę wyjątkowego – prawdziwe pegazie skrzydła! Od teraz należała do wyjątkowej grupy kucyków – alikornów. Oznaczało to, że mogła władać magią jednorożców, latać niczym pegaz, a jej serce było czułe i szczere jak u każdego ziemskiego kucyka. Z dnia na dzień stawała się coraz bardziej podobna do swojej ukochanej nauczycielki, księżniczki Celestii.

Twilight bardzo się cieszyła, że została alikornem, ale też nie przeceniała tego wyróżnienia. To był prawdziwy zaszczyt należeć do tak ekskluzywnej grupy. Nie zależało jej jednak na błyszczących klejnotach czy własnych komnatach w zamku. Była naprawdę szczęśliwa, że mogła pozostać w Ponyville. Uwielbiała spędzać czas na nauce w Bibliotece Złotego Dębu razem ze swoim ulubionym asystentem, małym smokiem o imieniu Spike. Nie chciała też opuszczać przyjaciółek, z którymi zawsze tak miło i radośnie płynął jej czas. Luksusowe apartamenty w pałacu mogły zaczekać.

Niegdyś księżniczka Celestia odesłała ją z Canterlotu, aby w Ponyville zgłębiała tajniki Magii Przyjaźni. Teraz Twilight wiedziała już, że to małe miasteczko stało się jej prawdziwym domem. Nie miała pojęcia, jak by się czuła, gdyby nagle miała je opuścić. A jeśli miałaby władać własnym królestwem...? To byłaby zupełnie inna historia.

Twilight uwielbiała pomagać innym kucykom, dzielić się z nimi wiedzą i interesującymi faktami, o których przeczytała na kartach swoich ukochanych książek. Świetnie też czuła się w roli Kapitana Wszystkich Ekip podczas obchodów Pożegnania Zimy w Ponyville. Jednak bycie kucykiem odpowiedzialnym za los całego królestwa nie mogło być łatwe. Dobrze znała księżniczkę Celestię i wiedziała, jak trudne są obowiązki władczyni. Musiała się jeszcze wiele nauczyć, jeśli chciała zostać dobrą i sprawiedliwą przywódczynią. Kucyk uczy się przecież całe życie, a nauka nigdy jej nie nudziła. Świat był wielki i pełen tajemnic! I to było wspaniałe!

Pewnego spokojnego, rześkiego popołudnia w Ponyville, niedługo po tym, jak pegazy sprowadziły na niebo chmurki, by wywołać krótki deszczyk, Twilight po raz kolejny przeglądała wszystkie książki, jakie zebrała w swojej bibliotece. Miała nadzieję znaleźć cenne porady i wskazówki, jak zostać wspaniałą księżniczką i dobrą przywódczynią. W książkach na pewno są informacje, które okażą się pomocne. Podczas poszukiwań jej uwagę zwrócił tytuł *Księżniczka na ziarnku owsa*. Była to jedna z jej ulubionych baśni o królewnach. Nie znalazła w niej jednak rozwiązania swoich problemów.

– A może ta? – zawołał Spike i z półki na samym dole zdjął zakurzony, opasły tom, oprawiony w okładkę morskiego koloru. By dosięgnąć wyżej ustawionych książek, musiał wspiąć się na drabinę.

Twilight kartkowała właśnie książkę zatytułowaną *Rządy purpury*, którą napisał kucyk o wdzięcznym imieniu Crystal Ball. Niestety, ta też się nie nadawała. W środku były jedynie teksty piosenek.

– Spike! – westchnęła zirytowana. – Co ja mam robić? Potrzebuję pomocy. Ja po prostu nie wiem wszystkiego o byciu księżniczką. – Podniosła się i zaczęła dreptać tam i z powrotem. Robiła to tak często, że wydeptała już w podłodze spory krąg. Spike nazywał go Strefą Twilight.

Smoczek zmarszczył brwi i podrapał się po głowie.

– Już wiem! – zawołał uradowany.

Podbiegł do regału i zaczął gorączkowo grzebać między półkami, zrzucając książki i zwoje na podłogę. Chwilę później w pazurzastej łapce ściskał triumfalnie tomik w żółto-zielonej okładce. Twilight od razu rozpoznała *Dzielną Do i wędrówkę do Wieży Strachu*. Już co najmniej trzykrotnie przeczytała wszystkie książki o nieustraszonej podróżniczce.

– Nie rozumiem, Spike. Co ma do tego Dzielna Do? – spytała, lekko przekrzywiając głowę.

– A pamiętasz, jak Do ratuje kucyka, który jest uwięziony na szczycie ogromnej wieży, a w fosie wokół wieży jest pełno wygłodniałych piranii?

– Taaak… I…?

– No, a pamiętasz, że musi wskoczyć do tej fosy, żeby dopłynąć do wieży, i że najbardziej na świecie boi się właśnie ryb?

– Do rzeczy, Spike! – ponagliła go Twilight. Zaczynała już tracić cierpliwość. – Wiesz, jak mi pomóc, czy nie? – Powoli wpadała w panikę. Grzywa jej się nastroszyła, a jedna powieka zaczęła nieznacznie drgać. Zawsze poważnie podchodziła do swoich obowiązków. Czasami chyba zbyt poważnie.

– Dzielna Do musi raz na zawsze przezwyciężyć swoje lęki. Aby tego dokonać, zwraca się o radę do kilku bardziej doświadczonych podróżników, na przykład do profesora A.B. Ravenhoofa! – Smoczek z dumą rozłożył ramiona.

Aha! Teraz wszystko stało się jasne! Twilight potrzebowała kogoś, kto jej doradzi. Musiała znaleźć kucyka, który ma w tych sprawach większe doświadczenie niż ona.

– Dlaczego sama na to nie wpadłam? – powiedziała rozpromieniona. Od razu zaczęła się zastanawiać, które kucyki mogłyby jej pomóc. – Świetna robota, Spike! To genialny pomysł. Dzięki!

Policzki smoka pokryły się intensywną czerwienią. Uwielbiał pomagać swojej najlepszej przyjaciółce. W końcu był jej asystentem numer jeden. Ledwo jednak zdążył powiedzieć: „Nie ma za co", gdy Twilight już była za drzwiami biblioteki. Spieszyła się, by zasięgnąć porady u najważniejszych przywódców Equestrii.

ROZDZIAŁ 2

Słodka porada

✳ ✴ ✳

– Kto w Ponyville mógłby mi pomóc? – zastanawiała się na głos Twilight, idąc przez rynek.

Nagle po drugiej stronie dziedzińca zauważyła panią burmistrz. Mayor Mare prowadziła w stronę ratusza grupę kucyków, które wyglądały na naprawdę ważne. Dobrze byłoby z nią porozmawiać. W końcu zajmowała się sprawami całego miasteczka!

Na pewno wie to i owo o tym, jak być dobrą przywódczynią. Hm, to byłby całkiem niezły początek.

Zanim jednak Twilight zbliżyła się do ratusza, pani burmistrz weszła do środka i zamknęła za sobą drzwi.

– Bardzo mi przykro, księżniczko Twilight – powiedział Senior Mint, wysoki zielony pegaz pełniący straż przy wejściu. – Pani burmistrz ma teraz niezwykle ważne spotkanie związane z tegorocznymi obchodami Letniego Święta Słońca. Przez pewien czas będzie bardzo zajęta.

Zawiedzionej Twilight opadły uszka.

– No trudno… Nic nie szkodzi. Ale nie musisz nazywać mnie… uch… księżniczką. Wystarczy po prostu Twilight – powiedziała.

Senior Mint przytaknął. Wyglądał na zawstydzonego.

– Przekażesz, że o nią pytałam? – poprosiła Twilight. Może później pani burmistrz znajdzie dla niej chwilkę.

– Oczywiście, księżniczko Twilight. – Senior Mint przyłożył kopytko do ust. – Ups! To znaczy... po prostu Twilight! – Wyraźnie czuł się w jej obecności skrępowany.

– Dzięki! – Po prostu Twilight posłała mu uśmiech i zawróciła, by znów znaleźć się w tym samym punkcie na rynku.

Nadal nie wiedziała, do kogo się zwrócić. Kręciła się po miasteczku, rozważając, co dalej robić, gdy nagle poczuła jakiś słodki, smakowity zapach. W brzuszku zaburczało jej głośno z głodu.

– Świeże babeczki! Podwójna polewa! – wołał Carrot Cake, właściciel Cukrowego Kącika. Był zaprzężony do różowo-żółtego wozu wypełnionego przepysznymi wypiekami we wszystkich smakach i kolorach.

Tak, to był dobry moment na przekąskę!

– Dzień dobry panu! – powiedziała uprzejmie Twilight i zbliżyła się do wózka.

Wokół zebrał się już sporawy tłumek kucyków spragnionych słodkości. Takiego zbiegowiska nie było od czasu ostatniej sprzedaży soku jabłkowego na farmie Sweet Apple.

Pan Carrot skinął jej na powitanie.

– Cześć, Twilight Sparkle!

– Czy to nowy cukrowy powóz? Naprawdę fajny pomysł!

– Pani Cake i ja zawsze szukamy nowych sposobów na podzielenie się naszymi wypiekami z mieszkańcami Ponyville.

Idące obok taty bliźniacze źrebaczki o imionach Pumpkin Cake i Pound Cake zachichotały figlarnie. Pound Cake, pracowicie machając małymi skrzydełkami, podleciał do tacki z różowymi i fioletowymi ciasteczkami. Kiedy tylko pan Cake odwrócił wzrok, mały pegaz capnął spory pączek i schrupał go ze smakiem. Jego siostrzyczka, Pumpkin Cake, podskoczyła tak wysoko, jak mogła, lecz nie była w stanie dosięgnąć żadnego ze smakołyków. W końcu użyła swojej mocy jednorożca, by ukraść niebieską babeczkę. Delikatnie skierowała ją do buzi. Zjadła i wielce zadowolona oblizała usta. A potem głośno beknęła.

– Maluchy uwielbiają spacery na świeżym powietrzu – ciągnął pan Cake, nieświadomy tego, co robią jego brzdące. Był zbyt zajęty sprzedawaniem swoich wyrobów wygłodniałym kucykom. – Tak, świeże powietrze im służy.

Rodzeństwo zaczęło ganiać się dookoła wozu. Rozpędzone źrebaczki przebiegły między nogami siwej skrzydlatej klaczy. Ta straciła równowagę i przewróciła się wprost na pobliski krzew róży. Kiedy w końcu zdołała wstać, jej grzywa w kolorze cytryny pełna była kłujących cierni.

– Panie Cake, czy ma pan dzisiaj jakieś muffinki? – spytała, próbując wyplątać ogon spomiędzy poskręcanych gałązek krzewu. Nagle zawadziła o jedną z nich kopytkiem i runęła na wznak na zieloną trawę.

– Dopiero co sprzedałem wszystkie – odparł zatroskany Carrot Cake.

– No to ja poproszę jedną babeczkę. – Twilight oblizała ze smakiem usta.

Pan Cake sięgnął kopytkiem, by unieść szklane przykrycie patery. Okazało się, że w środku zostały już tylko okruszki.

– Ojej… chyba wszystko już sprzedane! – Zmarszczył brwi. Wózek z łakociami był większym sukcesem, niż przypuszczał.

– Może pójdziesz z nami do Cukrowego Kącika? – zaproponował Twilight. – Pani Cake na pewno upiekła już następną porcję.

Twilight zawahała się. Czekało ją przecież bardzo ważne zadanie. Nie było czasu na zajadanie się słodkościami. W tym momencie w brzuszku ponownie i jeszcze głośniej niż poprzednio zaburczało jej z głodu. Pumpkin Cake zachichotała.

– To chyba moja odpowiedź – powiedziała Twilight. – Ale wpadnę tylko na chwilkę. Potem znów muszę zająć się swoją misją.

Bliźnięta zapiszczały z radości i natychmiast wskoczyły Twilight na plecy.

– Na konika! – zawołały jednocześnie, licząc na przejażdżkę do cukierni.

– Och, Pani Cake, te tęczowe chrupki… mmm… po prostu… mmm… przepyszne – powiedziała Twilight z pełnymi ustami. Na brodzie miała ślady różowej polewy. Rarity z pewnością powiedziałaby, że jej maniery są niegodne prawdziwej klaczy z klasą. – Przepraszam. – Wytarła buzię chusteczką. – Nie chciałabym uciekać tak od razu, ale naprawdę na mnie już czas.

– Oczywiście, księżniczko. – Pani Cake ukłoniła się, po czym wróciła do ozdabiania truskawkowego tortu waniliową polewą. Świetnie wychodziły jej różyczki z lukru.

Twilight zarumieniła się zawstydzona.

– Naprawdę nie musi mnie pani tak nazywać. – Całe to bycie księżniczką stawało się kłopotliwe. Może powinna rozwiesić na rynku wielki transparent z prośbą, by wszyscy traktowali ją normalnie. – Wciąż jestem tą samą Twilight co wcześniej. – Spojrzała na swoje odbicie w szybie lady z ciastami. Poza tym że wyrosły jej skrzydła, wyglądała tak samo jak dawniej. Nie nosiła nawet korony. – W zasadzie nic nie wiem o byciu księżniczką. Właśnie zbieram na ten temat informacje. Chcę porozmawiać z bardziej doświadczonymi kucykami, które wiedzą, co to znaczy być dobrym przywódcą. Ale nie chcę pytać księżniczki Celestii, bo to… troszkę krępujące. Poszłam do pani burmistrz, ale okazało się, że jest strasznie zajęta… – wyrzuciła z siebie jednym tchem.

Pani Cake popatrzyła na nią z matczyną troską.

– To rzeczywiście poważny problem. Dlaczego nie odwiedzisz brata i księżniczki Cadance?

Twilight rozpromieniła się na samą myśl.

Wspaniały pomysł! Jej najbliższa przyjaciółka ze źrebięcych lat i ukochany brat, najlepszy kumpel, Shining Armor, z pewnością mają więcej doświadczenia w rządzeniu królestwem. Starsze rodzeństwo jest właściwie stworzone do udzielania rad!

– Fantastyczny pomysł! Oni na pewno będą mieli dla mnie prawdziwie królewską poradę!

Carrot Cake wetknął głowę przez drzwi do spiżarni.

– Ale my jeszcze mamy królewską pomadę, kochanie. Zostało jeszcze kilka skrzynek!

– Nie, moja marcheweczko – wyjaśniła pani Cake. – Chodzi o królewską poradę. Dla Twilight. – Pokręciła z westchnieniem głową. – Ci mężczyźni... Nigdy nie słuchają.

Chichocząc, Twilight szybko zebrała się do wyjścia.

– W takim razie może lepiej zwrócę się do Cadance, a nie do Shining Armora. – Teraz, gdy miała już plan, czuła się o wiele pewniej. – Dziękuję za przepyszne łakocie i wskazówki, pani Cake. Pa, Pumpkin! Pa, Pound!

I tak oto młoda księżniczka wyruszyła w drogę do Kryształowego Królestwa, by dowiedzieć się, co to znaczy być prawdziwą księżniczką.

ROZDZIAŁ 3

Być
księżniczką

✦ ✦ ✦

Twilight Sparkle była naprawdę pod wrażeniem. Nie myślała, że Kryształowe Królestwo może wyglądać jeszcze piękniej niż podczas jej ostatniej wizyty. Wijące się, wyłożone klejnotami uliczki i wysokie, lśniące iglice błyszczały złociście w promieniach słońca. Ściany z rżniętego szkła mieniły się wszystkimi barwami tęczy. To była długa podróż, lecz naprawdę warto było przyjechać tu ponownie. Przechodząc przez główną bramę, Twilight czuła, jak rozpiera ją duma. To jej brat władał teraz tak cudowną krainą!

Królestwo powróciło do dawnej świetności po części dzięki niej, ale ona nigdy się tym nie przechwalała. Kraina kryształowych kucyków przez wiele lat pogrążona była w mroku, po tym jak niegodziwy król Sombra ukrył Kryształowe Serce – potężny magiczny artefakt. Serce, zasilane mocą miłości kucyków, chroniło mieszkańców krainy przed wszelkim złem. Kiedy zostało skradzione, królestwo okryła ciemność.

Na szczęście księżniczka Celestia wysłała swoją najlepszą uczennicę i jej przyjaciółki na pomoc. Dla Twilight był to prawdziwy sprawdzian wszystkiego, czego się do tej pory nauczyła. Podczas gdy jej koleżanki zajęły się przygotowaniami do Kryształowego Jarmarku, ona wyruszyła na poszukiwanie zaginionego Serca. Kiedy w końcu udało się jej odzyskać artefakt, równowaga w królestwie została przywrócona. Twilight zdała egzamin – pokonała wiele przeciwności i podejmowała właściwe decyzje. Jej nauczycielka była z niej bardzo dumna.

Teraz szła uśmiechnięta ulicami wspaniałego miasta. Pomachała przyjaźnie do grupy kryształowych kucyków.

– Dzień dobry wszystkim!

– Dzień dobry, księżniczko Twilight Sparkle! – odpowiedziały uprzejmie kryształowe kucyki. – Witaj z powrotem!

Błyszcząca klaczka o morskim umaszczeniu i jasnoniebieskiej grzywie podskoczyła w górę z radości. Nazywała się Glitter Dance i bardzo przypominała Twilight jej zawsze pełną energii przyjaciółkę Pinkie Pie.

– Idziemy dzisiaj nad Kryształowe Jezioro! Chodź z nami! – zawołała klaczka.

Twilight była bardzo zadowolona z zaproszenia, ale musiała grzecznie odmówić. Cieszyło ją, że kryształowe kucyki przyjemnie spędzały czas. To był dobry znak. Każdy zakątek Kryształowego Królestwa zdawał się promieniować światłem i miłością. Shining Armor i księżniczka Cadance mieli szczęście, że władali tą krainą. Oczywiście kryształowe kucyki też były bardzo szczęśliwe, że miały tak uroczą władczynię jak księżniczka Cadance.

– Twilight! – Przystojny, śnieżnobiały ogier o błękitnej grzywie szedł w jej stronę przez dziedziniec. Shining Armor nie widział siostry od dnia jej koronacji. Podbiegł do niej w pełnym galopie i objął w ciepłym, braterskim uścisku. – Jak się ma moja druga ulubiona księżniczka Equestrii? – Poklepał ją przyjaźnie kopytkiem w policzek.

– Ej, zaraz! – Twilight roześmiała się. – Ja byłam pierwsza!

– Żartuję! – powiedział Shining Armor, gdy dołączyła do nich księżniczka Cadance. – Obie jesteście moimi ulubionymi księżniczkami.

– Cadance! – wykrzyknęła Twilight. – Słonko wzeszło... – zaczęła, spoglądając wyczekująco na elegancką klacz.

– Wstawaj z biedronkami! – zawołała wesoło Cadance.

Potrząsając ogonami i podskakując wkoło, zaśpiewały swoją piosenkę.

– Klaszcz w kopytka i ruszaj bioderkami! – zakończyły.

Tak brzmiało ich tajne pozdrowienie z czasów, gdy Twilight była małym źrebaczkiem, a Cadance jej opiekunką i serdeczną przyjaciółką. Przebywanie w swoim towarzystwie i wspólne wierszyki nadal sprawiały im dużo radości. Kilka innych kucyków spoglądało na nie jednak z lekkim zdziwieniem. Nie przywykły do tego, że ich zazwyczaj poważna władczyni zachowuje się w ten sposób.

– Co cię sprowadza do Kryształowego Królestwa, siostrzyczko? – spytał Shining Armor. – Podoba ci się życie księżniczki?

Uśmiechnął się, promieniejąc z dumy. Jego mała siostra zaszła naprawdę daleko, otrzymała nawet królewski tytuł. Zawsze była najpilniejszą uczennicą księżniczki Celestii. Uwielbiał chwalić się innym kucykom jej dokonaniami. Od czasu koronacji nikt już nie wątpił w jej wyjątkowość. Opowieści o niej krążyły po całej Equestrii.

– Właściwie… z tego powodu przyjechałam. – Twilight spuściła wzrok i zaczęła smętnie grzebać kopytkiem w ziemi. – Nie nadaję się na przywódcę kucyków. Zupełnie nie wiem, co robić! Wcale nie czuję się jak księżniczka. To dość dziwne, gdy wszyscy tak się do mnie zwracają. Myślę też, że brakuje mi wdzięku… Nie jestem tak urocza jak Cadance.

– Och, Twilight! – Shining Armor objął siostrę, chcąc ją pocieszyć. – Początki bywają trudne. Ale ty naprawdę świetnie sobie radzisz!

Wiedziała, że brat chciał jej pomóc, ale nie mogła się powstrzymać, by mimowolnie nie westchnąć.

– Mówisz to, bo jesteś moim bratem. Po prostu nie możesz myśleć inaczej!

– Spokojnie, Twilight. Bycie księżniczką to pestka! Prawda, Cadance? – Shining Armor niczego nie rozumiał.

Cadance popatrzyła na niego poważnie.

– Nie, to wcale nie jest proste. Doskonale rozumiem, jak ona się czuje. Chodź, Twilight – zwróciła się do przyjaciółki. – Pomogę ci.

Księżniczka Mi Amore Cadenza poprowadziła Twilight do pałacu. Jej wychowanka z radością szła obok niej.

ROZDZIAŁ 4

Opowieść Cadance

✴ ✴ ✴

To był bardzo gwarny dzień w Kryształowym Królestwie. W zgiełku, biegnąc po zatłoczonych ulicach, kryształowe kucyki spieszyły do domów. Te, które wracały z targu lub ze sklepu, niosły pakunki pełne jabłek i innych pyszności.

– Dzień dobry, Moondust! – powiedziała Cadance do białej klaczki o mieniącej się sierści i srebrnej grzywie, która sprzedawała kryształowe jagody (specjalność królestwa) na małym straganie przy fontannie. – Co tam u twoich źrebaczków?

Klacz skłoniła się z uśmiechem obu księżniczkom.

– Rosną jak na drożdżach. Może trochę kryształowych jagódek? – Podała im po garści owoców.

Bajeczna słodycz zmieszana z cierpkim posmakiem eksplodowała w ustach Twilight. Koniecznie musi pamiętać, żeby zabrać porcję jagód dla państwa Cake. Świetnie pasowałyby do ciasta.

– Bardzo dziękuję! – powiedziała, gdy obie pożegnały się i ruszyły dalej.

Jak Cadance była w stanie zapamiętać imię każdego kucyka z jej królestwa? Twilight nie mogła spamiętać imion wszystkich członków rodziny Apple. Podczas dzisiejszej przechadzki poznała Topaz Twist, Citrine Star, Rosie Quartz, a teraz Moondust! Pamięć Cadance była naprawdę fenomenalna. Ciekawe, czy uczyła się imion poddanych każdej nocy na pamięć...

– Zawsze staram się zapamiętać imiona wszystkich kucyków w mojej krainie, ponieważ każdy z nich jest wyjątkowy – tłumaczyła Cadance, gdy szły powoli ulicą. – Wszyscy wspólnymi siłami staramy się uczynić Kryształowe Królestwo najszczęśliwszym miejscem w Equestrii.

Twilight westchnęła. Jej przyjaciółka miała rację, ale obowiązek wydawał się przytłaczający. Może powinna zrobić sobie karteczki ze zdjęciami i imionami wszystkich kucyków w Ponyville?

– Jesteś naprawdę wspaniałą księżniczką, Cadance – powiedziała. Zbliżyły się akurat do dwóch młodych klaczek, które na ich widok pokłoniły się z uśmiechem. – Chciałabym być taka jak ty. Czuję się zagubiona.

– Wiesz – zamyśliła się Cadance – nie zawsze byłam tak pewna siebie.

– Nie? – Twilight nie mogła sobie przypomnieć, by jej przyjaciółka kiedykolwiek wyglądała na bezradną.

– Kiedy byłam malutkim pegazem, porzuconym w lesie daleko, daleko stąd... – Cadance zaczęła znajomą historię.

Twilight słuchała uważnie opowieści o tym, jak Cadance stała się mądrą i szlachetną księżniczką.

Znalazła ją para ziemskich kucyków z pobliskiej wioski, przygarnęła i wychowała jak własnego źrebaczka. Gdy dorastała, wrodzona dobroć i czułe serce sprawiły, że wszyscy ją kochali i chcieli chronić. Cadance była naprawdę wyjątkowa.

Jednak sielanka nie trwała wiecznie. Niedaleko mieszkała zła czarownica Prismia. Prawie nigdy nie opuszczała swojej chatki, ponieważ nienawidziła kucyków z wioski. Nie mogła znieść tego, że były miłe dla innych i dbały o siebie nawzajem. Zazdrościła im, ponieważ o nią nikt nigdy się nie troszczył. Prismia zawsze nosiła na szyi amulet, który ceniła ponad wszystko na świecie. Amulet emanował potężną magią, która wzmacniała jej nienawiść i zazdrość. Wkrótce w czarnym sercu czarownicy nie było już miejsca na inne uczucia. Nie mogąc dłużej znieść kucyków z wioski, rzuciła na nie zaklęcie, które wysysało z nich miłość. Prismia myślała, że w ten sposób zdoła wykraść odrobinę tego uczucia dla siebie. Wkrótce wszystkie kucyki stały się smutne i osowiałe.

Cadance zdecydowała, że nie może na to pozwolić i wybrała się do chatki Prismii. Na szczęście amulet wiedźmy wzmocnił szlachetność jej serca. Pokonała czarownicę dzięki swej niezwykłej dobroci i współczuciu. Klątwa Prismii straciła moc, a ona sama stała się zupełnie inną, miłą klaczą. Niespodziewanie Cadance została otoczona przez magiczną energię, która przeniosła ją do dziwnego, tajemniczego miejsca.

Miejsca, gdzie żaden kucyk – poza księżniczką Celestią – nigdy nie postawił kopytka. Właśnie w ten sposób Celestia poznała młodą, wyjątkową klacz. Od razu podjęła decyzję. Zabrała ją ze sobą do Canterlotu, by wychować jako przybraną siostrzenicę – uroczą księżniczkę Cadance.

Największym przymiotem księżniczki Cadance zawsze było jej wielkie serce. Ze wszystkimi dzieliła się radością i miłością. Z łatwością godziła nawet najbardziej zwaśnione kucyki. Podczas końcowego egzaminu w szkole prowadzonej przez księżniczkę Celestię udało się jej doprowadzić do tego, że dwie skłócone od niepamiętnych czasów rodziny pogodziły się, a ich członkowie zostali najlepszymi przyjaciółmi.

– Pozostałam więc przez długi czas w Canterlocie, rozwiązując spory i pomagając kucykom odnaleźć miłość. Choć sama jeszcze jej nie doświadczyłam. – Zachichotała i lekko się zarumieniła. – Jednak już wtedy podkochiwałam się w twoim bracie.

– Fuj! – Twilight się skrzywiła.

– Wszyscy mówili mi, że kiedyś będę wspaniałą księżniczką, ale ja nie miałam pojęcia, co to znaczy. Nie wiedziałam, jak postępuje prawdziwa księżniczka! – opowiadała Cadance, a Twilight przytakiwała ze zrozumieniem. O tym właśnie chciała rozmawiać! – W końcu poszłam po radę do Celestii.

– I...? – spytała Twilight, cała zamieniając się w słuch.

– Zapytała, czy czuję się jak prawdziwy przywódca. – Cadance stanęła i popatrzyła młodszej przyjaciółce w oczy. – Odpowiedziałam, że niestety nie.

– I...? – powtórzyła Twilight, przestępując niecierpliwie z nogi na nogę.

– Opowiedziała mi o starożytnym zaklęciu. Jego moc mogła wskazać drogę kucykowi, którego przeznaczeniem było przewodzić innym.

Twilight uśmiechnęła się. Wiedziała, że w końcu znajdzie rozwiązanie swoich problemów. I będzie to oczywiście zaklęcie!

Prawdziwy przywódca musi przecież wiedzieć, jak oczarować innych.

Po jakimś czasie przyjaciółki zatrzymały się przed olbrzymią kryształową statuą przedstawiającą Cadance. Światło słoneczne prześwitywało przez powierzchnię pomnika i w wodzie tryskającej z fontanny powstawały miriady niewielkich tęczy.

– Łał! Kryształowe kucyki naprawdę... bardzo cię kochają. – Twilight przechyliła głowę, podziwiając przezroczystą rzeźbę. Nie wyobrażała sobie, żeby kiedyś postawiono posąg na jej cześć. To jednak byłoby zbyt wiele.

Cadance potrząsnęła grzywą i wzruszyła ramionami.

– Och, chyba masz rację! – Zachichotała.

Słynne Kryształowe Serce stało obok statui, promieniując magią kryształowych kucyków. Znajdowało się dokładnie w tym samym miejscu, w którym zostawiła je Twilight. Całe szczęście, bo byłoby niedobrze, gdyby znowu porwał je jakiś zły król. Odzyskanie Serca okazało się niezwykle trudne. Wolałaby tego nie powtarzać.

– To gdzie mogę znaleźć to zaklęcie przywódcy? Możesz mnie go nauczyć? Czy jest zapisane w jakiejś starej księdze czarów? – Twilight nie mogła się już doczekać. Jak tylko pozna właściwe słowa, od razu wróci do Ponyville. I wszystko skończy się szczęśliwie!

– Och, nie, Twilight. – Cadance pokręciła głową. – Tego czaru nie da się ot tak nauczyć, musi się sam ujawnić. Przyszły władca Equestrii pozna Zaklęcie Kryształowego Serca tylko wtedy, gdy zrozumie, co jest dla niego największym wyzwaniem.

Dopiero wtedy dowie się, jak powinien władać. Poczuje to w głębi serca.

Twilight w zakłopotaniu zmarszczyła brwi. Co, do licha, Cadance ma na myśli? Co to znaczy, że czar sam się ujawni? Czy miała sama wpaść na to, jak rzucić to zaklęcie? Hm, będzie znacznie trudniej, niż przypuszczała.

– Jak niby, do stu tysięcy kopyt, mam to zrobić?

– Mogę dać ci jedną wskazówkę, którą kiedyś Celestia dała mnie – powiedziała przyjaźnie i uspokajająco Cadance. – Po prostu pomyśl, co sprawia, że mieszkańcy królestwa żyją szczęśliwie.

– Elementy Harmonii? – spytała Twilight. To pierwsze, co przyszło jej do głowy, więc pewnie było zbyt oczywiste.

– Niezupełnie… – odparła Cadance. – Co jest najlepszego w całej Equestrii?

Twilight przekrzywiła głowę, była całkiem zdezorientowana.

Cadance zdecydowała się naprowadzić ją w inny sposób. Zaczęła szczegółowo opowiadać o własnych poszukiwaniach Zaklęcia Kryształowego Serca. Ostrzegła też, że ten wyjątkowy czar był dla każdego kucyka zupełnie inny. Nie dało się go powtórzyć.

– Kiedy Celestia dała mi tę wskazówkę, postanowiłam poprosić o radę przyjaciół – wspominała. – Każdy miał własny pomysł na to, czego potrzebuje szczęśliwe królestwo. Niektóre sugestie były naprawdę szalone.

– Na przykład? – Twilight Sparkle chłonęła wszystkie informacje. Przyda się jej nawet najmniejsza podpowiedź.

– Hm… Moja przyjaciółka Buttercream uważała, że w samym środku każdego królestwa musi znajdować się fontanna z czekoladą. A pewien ogier, którego znałam, Sky Chariot, zasugerował, że wszystkie kucyki powinny wracać do domów o tej samej porze, zanim zrobi się ciemno. – Cadance skrzywiła się z niesmakiem. – Właściwie z nikim się nie zgodziłam, ale wykorzystałam niektóre pomysły.

Twilight przytaknęła, uważnie słuchając historii.

– Ale i tak nic się nie stało! – zawołała dramatycznie Cadance. – To zaklęcie nie chciało się ujawnić, a ja byłam bardziej zagubiona niż kiedykolwiek.

– No to jak je odkryłaś? – Twilight z podekscytowania otworzyła szeroko oczy.

– Pewnego dnia siedziałam nad jeziorem w Canterlocie, rozmyślając nad sytuacją, w jakiej się znalazłam – kontynuowała Cadance. – I zrozumiałam, że zawsze tylko słuchałam innych i spełniałam ich prośby.

– Jak wtedy, gdy prosili cię, żebyś pomogła im odnaleźć miłość? – zapytała Twilight.

– Właśnie tak! Ale nigdy nie decydowałam o niczym, co dotyczyło mnie samej. – Cadance popatrzyła na wodę mieniącą się w kryształowej fontannie. – Kiedy tylko zdałam sobie z tego sprawę, słowa zaklęcia pojawiły się przede mną, wypisane złotymi literami na powierzchni wody.

– Łał... – Twilight westchnęła, wyobrażając sobie, jak pięknie musiało to wyglądać. Może jednak powinna wybrać się nad Kryształowe Jezioro?

– Gdy przeczytałam słowa czaru na głos, natychmiast zrozumiałam, że moim przeznaczeniem jest przewodzić innym kucykom. Wiedziałam, że jako księżniczka powinnam dzielić się z innymi moim darem prawdziwej miłości i tolerancji. Jednak by to robić, muszę zawsze słuchać własnego serca.

ROZDZIAŁ 5

Darowanemu

koniowi

* * *

Cadance wprowadziła Twilight przez
masywne drewniane drzwi do przepysznej
pałacowej sypialni. Wnętrze wyściełały bo-
gate, królewskie aksamity w kolorach głębo-
kiej purpury i złota. Tysiące wielobarwnych
kamieni szlachetnych zdobiło kryte balda-
chimem łoże i mieniło się na fantazyjnym
kandelabrze. Poranne promienie słońca wpadały przez złocone szyby. Przemykały po

szarych i srebrnych kamieniach na ścianach komnaty, rozjaśniając misternie rzeźbione meble z ciemnego drewna. Przepych zamkowych sal bez wątpienia przypadłby do gustu Rarity. Jedyną rzeczą pasującą tutaj do Twilight Sparkle był niewielki, lecz dobrze zaopatrzony regalik z książkami.

Twilight zamrugała oczami z niedowierzaniem.

– Cały ten pokój jest mój?

– No, nie całkiem twój! – Zza jednej z purpurowych kotar wyskoczył Spike, po czym wykonał energiczny, triumfalny taniec. – Niespodzianka!

Cadance zaśmiała się z jego wygłupów.

– Spike! – krzyknęła Twilight i natychmiast poczuła się winna, że zostawiła go samego w Ponyville. – Przepraszam, że wyjechałam tak nagle. Wiesz, jak to jest, gdy mam ważne zadanie do wykonania.

– Jak mógłbym nie wiedzieć? – odpowiedział smok. – Ale masz szczęście, że w końcu tu przyszłaś. O mało co nie zjadłem tych wszystkich klejnotów, gdy czekałem na ciebie. – Rozejrzał się łakomie po komnacie i głośno przełknął ślinkę. Diamenty i kryształy były jego ulubioną przekąską. Musiał bardzo nad sobą panować, żeby nie uszczknąć chociaż jednego.

– Dobrze, że tego nie zrobiłeś – pochwaliła go Twilight. Nagle dostrzegła małe, zapakowane w złoty papier pudełeczko przewiązane śliczną kokardą. Stało na środku łóżka. – Spike, nie musiałeś kupować mi prezentu. Nawet nie mam jeszcze urodzin!

– To nie ode mnie… – Smoczek podrapał się pazurkiem w głowę. – Nie mam pojęcia, skąd się to wzięło.

– To prezent ode mnie – powiedziała Cadance. – Taki mały podarek od jednej księżniczki dla drugiej. – Mrugnęła wesoło do Twilight.

Twilight rozdarła papier i otworzyła szkatułkę. Wewnątrz znajdował się przepiękny naszyjnik z purpurowych klejnotów, pomiędzy którymi umieszczony był wielki brylant w kształcie serca. Był to niezwykle szczególny medalion... Czyżby już go gdzieś widziała? Tak! Na szyi Cadance!

– Ale... to twój ulubiony naszyjnik! Z czasów gdy razem dorastałyśmy. – Gdy była małą klaczką, bardzo się jej podobał. Wydawał się jej wyjątkowy, chociaż nigdy nie była pewna dlaczego.

Cadance uśmiechnęła się ciepło.

– Oczywiście, że tak! Myślę, że nadszedł czas, by inna księżniczka nosiła go z dumą.

– Och, Cadance! – Twilight założyła medalion i zawirowała na kopytku.

Spike nie mógł oderwać oczu od klejnotów lśniących na jej szyi.

– Będę o niego dbać. Dziękuję! – Rozpromieniona przeglądała się w zwierciadle.

– Oczywiście, moja kochana siostrzyczko. – Cadance skierowała się do drzwi. – Ale musisz wiedzieć o jednym.

Twilight wciąż tańczyła przed lustrem, przyglądając się samej sobie oczami zamglonymi ze szczęścia.

– Tak? – spytała, chociaż nie wyglądało na to, by słuchała uważnie.

– Na ten brylant w kształcie serca nałożono potężne zaklęcie – wyjaśniła Cadance. – Dopóki kucyk, który go nosi, jest pełen miłości i dobra, naszyjnik otacza go opieką i wzmacnia pozytywne uczucia.

– To cudowne! – Twilight przyjrzała się z szacunkiem świetlistemu klejnotowi. – Czekaj… czy to nie jest naszyjnik z twojej opowieści? Ten, który nosiła Prismia?

– Bardzo możliwe. – Starsza księżniczka mrugnęła zawadiacko, po czym kontynuowała poważnym tonem. – Ale jeśli kucyk zapomni o tym, że powinien wybierać dobro, medalion wzmocni jego negatywne myśli i poczucie zwątpienia! – ostrzegła. – Bądź ostrożna, Twilight. Pamiętaj, słuchaj głosu serca, a zaklęcie wkrótce się ujawni! – Po tych słowach przyjaciółka wyszła z komnaty.

– Jasne! – zawołała Twilight i głośno ziewnęła. Zmęczenie po długiej podróży w końcu wzięło górę. Wdrapała się na wyłożone poduszkami łóżko i zakopała pod kołdrą. Jutro z samego rana rozpocznie poszukiwanie tego, co czyni królestwo prawdziwie szczęśliwym.

– Postępować w zgodzie z własnym sercem… – szepnęła, zanim zapadła w głęboki, pozbawiony marzeń sen. Sen księżniczki, która ma jasno określone cele.

Minął dopiero jeden dzień, a w komnatach Twilight panował już ogromny bałagan. Wszystkie książki zostały pozdejmowane z regału i teraz leżały wszędzie – na podłodze i na łóżku. Niektóre były otwarte na stronach opisujących czary, inne tam, gdzie można było przeczytać ciekawe historie, jeszcze inne zostały bezładnie rzucone na stos.

Spike siedział przy oknie i podziwiał panoramę Kryształowego Królestwa, od czasu do czasu przyglądając się czemuś przez lunetę. Zastanawiał się, jak wiele przepysznych klejnotów można znaleźć w tym cudownym miejscu.

– Spike, gdzie Cadance zaczęła szukać swojego zaklęcia? – zapytała Twilight, drapiąc się kopytkiem po głowie.

Smoczek zeskoczył ze stołka, po czym zaczął wkładać książki z powrotem na półki. Było zupełnie jak w domu w Ponyville.

– Skąd mam wiedzieć! – odpowiedział już któryś raz. – Siedziałem tutaj, czekając na ciebie, pamiętasz? Nie słyszałem jej historii.

Twilight podeszła do szkatułki, w której trzymała swój piękny nowy naszyjnik. Pudełeczko stało na ślicznej toaletce z owalnym zwierciadłem. Założyła medalion i przejrzała się w lustrze. Od razu wiedziała, co powinna zrobić.

– Poprosiła o radę przyjaciół. Tak, tak właśnie zrobiła! – wykrzyknęła Twilight. – Spike, list! Albo nie! Pięć listów! Zorganizujemy sekretne czarodziejskie zebranie z moimi najlepszymi przyjaciółkami!

Spotkanie z najbystrzejszymi umysłami Ponyville było tym, czego potrzebowała, by zacząć właściwie działać.

ROZDZIAŁ 6

Spike,
do usług

* * *

Spike był przez cały dzień zajęty – roznosił zaproszenia na tajne spotkanie Twilight.

Najpierw odwiedził Fluttershy. Przyjęła go bardzo ciepło i zaproponowała, by wstąpił na chwilkę pobawić się z jej nowym owocożernym nietoperzem o imieniu Toby.

– Jest okropnie nieśmiały! Przydałby mu się taki kolega jak ty, Spike – powiedziała swoim delikatnym, łagodnym głosem.

– Przykro mi, Fluttershy! Mam jeszcze mnóstwo listów do dostarczenia. Później chętnie się z nim zakumpluję, ale najpierw chcę mieć to już z ogona. Nie lubię, jak niedokończone sprawy wiszą mi nad głową. – Zachichotał ubawiony własnym dowcipem.

Fluttershy popatrzyła na niego zbita z tropu.

– Rozumiesz? Wiszą. Jak nietoperze wiszą do góry nogami.

Następnie Spike udał się na farmę Sweet Apple.

Applejack pracowała w sadzie. Uderzała tylnymi kopytkami w pień drzewa, a soczyste jabłka wpadały wprost do ustawionych wkoło koszy.

– Spotkanie z Twilight? – ucieszyła się. – Ufff! Nie widziałyśmy jej od paru dni. Już miałam wysłać całą rodzinę Apple na poszukiwanie!

– Czy ktoś powiedział: balowanie? – Zza drzewa wyskoczyła podekscytowana Pinkie

Pie. – Mój imprezowy budzik właśnie eksplodował! – Podniosła przednią nóżkę, by zaprezentować neonowo świecące coś przyczepione do pęciny.

Coś wyglądało jak zegarek, ale zamiast cyferek miało obrazki przedstawiające kolorowe balony, chorągiewki i konfetti, a słowo „imprezka" wypisane było wkoło dwanaście razy. Malutkie, mrugające światełka otaczały tarczę urządzenia, a z niewielkiego głośniczka na górze dobiegało świdrujące dzwonienie.

– A gdzie są cyferki? – spytała Applejack.

– A na co komu cyferki? – Pinkie Pie wzruszyła ramionami.

– Żeby zobaczyć, jaki jest czas, głuptasie! – Farmerka dla podkreślenia swoich słów wyrzuciła kopytka w powietrze.

– No, ale przecież pokazuje czas! To czas na imprezkę… Przez cały czas! – zakrzyknęła wesoło różowa klacz. – To kto powiedział magiczne słowo? No? No? – Podskoczyła do Spike'a i spojrzała mu z bliska prosto w oczy. – Może ty?

– To nie do końca imprezka... ale proszę, to zaproszenie dla ciebie, Pinkie. – Wręczył jej kopertę.

Pinkie Pie od razu wyciągnęła list i pospiesznie przeczytała wiadomość.

– Tajna imprezka?! Och, super, super, balonowo! Lecę się przygotować! – Sprężyście podskakując, pognała do domu.

– Dzięki, Spike. – Applejack pokręciła głową. – Myślę, że możecie liczyć na mnie i na Pinkie.

Tymczasem Rarity nie była zachwycona zaproszeniem. Zerknęła na list sponad swoich fioletowych kocich okularów.

– Jestem okrutnie zajęta! Pracuję właśnie nad bardzo pilnym zamówieniem. Chodzi o ozdoby na rogi jednorożców. – Zawsze pilnie projektowała nowe ubrania i biżuterię w butiku Karuzela. Była niezwykle sumienna. – Nie można by tego przełożyć?

– Twilight mówiła, że to niezwykle ważne. – Spike wlepił wzrok w podłogę. Czuł się niezręcznie. Nie chciał sprawić przykrości Rarity, ponieważ bardzo ją lubił. Może parę komplementów ją przekona? – Och, Rarity… czy zrobiłaś coś z fryzurą? Twoja grzywa jest dzisiaj naprawdę odjazdowa! Taka lśniąca i puszysta!

– Cóż, rzeczywiście rano wpadłam do spa, żeby zrobić sobie kopytka. Akurat mieli nową odżywkę do włosów… – zaczęła opowieść Rarity.

Kilkanaście minut później Spike wciąż grzecznie słuchał...

– I wtedy powiedziałam: „Kochanie, jeśli musisz zrobić mi też ogon, nie wahaj się!". Wiedziałam, że będzie warto!

– Tak, wygląda olśniewająco! Muszę pędzić, pa! – zawołał pospiesznie smok, po czym wybiegł na dwór.

Spędził stanowczo zbyt dużo czasu, słuchając o nowinkach oferowanych przez Salon Piękności Ponyville. Był już spóźniony. Na szczęście został tylko jeden list. Ostatnim kucykiem, którego miał zaprosić na tajne spotkanie Twilight, była Rainbow Dash.

– Specjalna przesyłka dla pani Rainbow Dash! – zakrzyknął w górę bez większego entuzjazmu.

Raz po raz wołając w ten sposób, doszedł do parku. Miał już zrezygnować, ale znajdował się dokładnie pod Cloudsdale. Równie dobrze mógł spróbować jeszcze raz. Możliwe, że tęczowy pegaz był akurat w domu.

– Rainbow Daaaash! – krzyknął zniecierpliwiony. – Mam dla ciebie niezwykle ważne zaproszenie na bardzo tajne spotkanie u Twilight Sparkle!

– Wyluzuj, Spike! – odpowiedziała sportsmenka, nurkując przez obłoki. – Już lecę!

Śmignęła obok chmurki, która na pierwszy rzut oka zdawała się całkiem pusta. Jednak ukrywała się w niej Gilda! Wścibski gryf usłyszał każde słowo.

Tajne spotkanie Twilight przestało być tajne.

– O co to całe zamieszanie, Twilight? – spytała Applejack, sięgając po jedną z bułeczek z jabłkami, które przyniosła na zebranie.

Wszystkie pięć przyjaciółek stawiło się na spotkanie, chociaż na pewno miały inne ważne sprawy na głowie. To prawdziwe szczęście, że Twilight miała tak oddane koleżanki. Myśl o tym napełniała ją dumą. Miłe i ciepłe uczucia w jej sercu spotęgowały blask amuletu zawieszonego na jej szyi. Odchrząknęła i popatrzyła po kolei na każdą z przyjaciółek.

– Dziękuję, że przyszłyście… – zaczęła, ale natychmiast przerwała jej Rarity:

– Czy ten boski naszyjnik jest zrobiony z astralnej poświaty? – Rarity spojrzała chciwie na wielki, błyszczący klejnot. – Nigdy jeszcze nie widziałam czegoś takiego na własne oczy! Tylko na obrazkach w książkach. Och, jest wprost cudowny! Wygląda zupełnie jak miniaturowe Kryształowe Serce! – Wstała, by się lepiej przyjrzeć.

– Dzięki! To prezent od księżniczki Cadance.

– Wiesz, co się mówi o astralnej poświacie? – Rarity odwróciła się do pozostałych kucyków. – Kiedy ktoś nosi taki kamień, należy pamiętać, aby…

– Och, tak. Dobrze o tym wiem. – Twilight chciała już przejść do sedna spotkania. To nie była odpowiednia chwila, żeby rozmawiać o ozdobach. Czas uciekał!

Rarity wzruszyła ramionami, lekko urażona. Usiadła z powrotem na swoim krześle.

– Zatem… dziękuję, że przyszłyście. – Twilight ponownie popatrzyła z wdzięcznością na przyjaciółki. – Wezwałam was dzisiaj, ponieważ potrzebuję pomocy…

– Ooooch! Wiem! – zapiszczała Pinkie Pie. – Planujesz sekretny napad na klejnoty i chcesz, żebyśmy dołączyły do twojej bandy?

– Niezupełnie to miałam na myśli. – Pokręciła głową Twilight.

Różowa klaczka miała już na sobie szpiegowskie przebranie – założyła czarny płaszcz, a na głowie miała filcowy kapelusz. Była pewna, że dzięki temu nikt jej nie rozpozna! Przyniosła też ze sobą specjalny napój, o którym mówiła: sekretny poncz. Nie chciała jednak powiedzieć, z czego jest zrobiony („To wielka tajemnica!"). Jak na razie żaden z kucyków nie odważył się spróbować tego specjału.

– A może… zgłosiłaś się, żeby przygotować przedstawienie na tegoroczną Wigilię

Serdeczności i potrzebujesz naszej pomocy?!

– Pinkie, mamy lato – Rainbow Dash westchnęła. – Na pewno nie o to chodzi.

– Cokolwiek to jest, czy możemy już zacząć? – jęknęła Rarity. – Czeka mnie masa pracy w butiku! Ozdoby na rogi muszą być do jutrzejszego poranka dostarczone do Mythiki w Neigh Yorku. A samo nic się nie zrobi. Wiesz może która godzina, Pinkie? – Wskazała imprezowy budzik Pinkie Pie.

– No jasne! – Różowy kucyk spojrzał na zegarek i zawołał: – Imprezka!

– *Pardon?* – Rarity nie zrozumiała. Applejack i Spike zachichotali cicho. – Godzina to imprezka?

– Czas na iiimprezkęęę! – zapiszczała Pinkie Pie i zaczęła skakać po pokoju.

Kucyki wybuchnęły śmiechem – poza Rarity, która wyglądała na rozdrażnioną.

– Dobrze, wystarczy! – Twilight uniosła kopytko, by prosić o ciszę. – Do rzeczy.

Ze szczegółami opowiedziała o swojej podróży do Kryształowego Królestwa oraz o tym, jak księżniczka Cadance poszukiwała własnego zaklęcia. Wyjaśniła, że tylko z pomocą przyjaciół uda się jej znaleźć ten czar. Podobnie jak udało się to Cadance.

– Dlatego chciałabym, żebyście podpowiedziały mi, jak stworzyć szczęśliwe królestwo. Jeśli mi nie pomożecie, nie znajdę zaklęcia i nie dowiem się, co to znaczy być przywódcą. A wtedy nigdy nie będę dobrą księżniczką! – wyrzuciła z siebie jednym tchem. Cóż, miewała skłonności do przesady.

– Wszystko będzie dobrze, Twilight. – Fluttershy poklepała ją po ramieniu. – Razem na pewno coś wymyślimy.

– Razem? – spytała z nadzieją Twilight. – To znaczy, że mi pomożecie?

Wszystkie kucyki przytaknęły i uniosły w toaście kubeczki wypełnione sekretnym ponczem.

– Razem!

ROZDZIAŁ 7

Tajne
Spotkanie

✦ ✦ ✦

Już od kilku godzin przyjaciółki starały się wspólnie znaleźć rozwiązanie, ale Twilight miała wrażenie, że jest dalej od odkrycia zaklęcia, niż była na początku. Nie przybliżyła się nawet o krok do rozwiązania problemu. Każda z przyjaciółek miała zupełnie inny pomysł na to, co by zrobiła, gdyby władała królestwem.

– Oficjalny Dzień Ciasta! – Pinkie Pie oblizała ze smakiem usta. – Wszystkie kucyki mogłyby cały dzień jeść tyle ciasta, ile dusza zapragnie! To byłoby zupełnie jak jedna wielka superimprezka urodzinowa!

– Straż Królewska sformowana z najszybszych pegazów byłaby odjazdowa! – wtrąciła Rainbow Dash. – Możemy zorganizować zawody, żeby zobaczyć, kto jest najlepszy. – Wskazała na siebie kopytkiem. – Poza mną, oczywiście!

Twilight skrzętnie zanotowała. Jednak to nie o takie informacje jej chodziło. Westchnęła ciężko.

– Applejack? Rarity? Chciałybyście coś dodać?

Oczy zaradnej farmerki momentalnie się rozjaśniły.

– Oooch! Wszystkie kucyki powinny każdego wieczora jeść kolację ze swoimi rodzinami! Tak jak robimy to na farmie

Sweet Apple. Silne więzi rodzinne są budujące – powiedziała szczerze.

– Dooobra… – Twilight pomyślała o swoim bracie i rodzicach. Wszyscy żyli tak daleko od siebie. To była miła sugestia, ale niestety, niezbyt praktyczna. Nie każdy kucyk miał szczęście mieszkać z rodziną jak Applejack.

– O! O! Ja mam dobry pomysł! – Fluttershy podniosła kopytko.

– Tak? – Twilight spojrzała na nią z nadzieją. Fluttershy, choć nieśmiała, potrafiła być niezwykle kreatywna. – Nie krępuj się!

– Tak się właśnie zastanawiałam… Byłoby cudownie, gdyby małe zwierzątka miały jakieś miejsce, w którym mogłyby się razem beztrosko bawić. Z dala od niebezpiecznych stworów z Lasu Everfree. Czyli rezerwat, ale tylko dla małych zwierzątek! Właśnie coś takiego bym zrobiła. – Wyjrzała w zamyśleniu przez okno. Już sobie wyobrażała, jak byłoby miło bawić się ze zwierzaczkami.

– Nooo... dobra... – Zniecierpliwiona Twilight uniosła brwi, lecz zapisała wszystko w swoim notesie.

Zaczęła się zastanawiać, czy może powinna zmienić plan. Potrzebowała prawdziwych wskazówek, jak zarządzać królestwem. Ciastka i słodkie zwierzaczki nie były zbyt pomocne.

– Rarity? Jakieś pomysły? Jesteś dzisiaj wyjątkowo cicho.

Rarity straciła humor po tym, jak Twilight jej przerwała, gdy ona chciała opowiedzieć o właściwościach naszyjnika.

– No, skoro teraz chcesz poznać moją opinię... – powiedziała. Nie była w nastroju do dyskusji. – Ja opracowałabym stylową kolekcję dla całego królestwa. Ekskluzywne stroje z najprzedniejszych materiałów, żeby każdy kucyk czuł się świetnie i wyglądał wspaniale!

Pinkie Pie i Fluttershy przytaknęły ochoczo, lecz Twilight skrzywiła się sceptycznie.

– Stylowe stroje? – Pokręciła zrezygnowana głową. – Dziewczyny! Myślcie kreatywnie!

– Bardzo przepraszam, jeśli mój pomysł nie był wystarczająco kreatywny dla ciebie, księżniczko. – Rarity uniosła do góry nosek. – Życzę powodzenia! Teraz sama wymyśl coś lepszego. – Wstała i rozgniewana poszła do swojego butiku.

– Ojej... – Twilight w końcu zrozumiała, że sprawiła przyjaciółce przykrość. – Nie chciałam jej urazić. Chyba mnie poniosło. Przepraszam was wszystkie. Może lepiej skończmy na dzisiaj.

ROZDZIAŁ 8

gra gildy

* * *

Gilda czekała cierpliwie, aż ostatni kucyk wyszedł ze spotkania u Twilight. Pinkie Pie została najdłużej. Przedstawiała przyjaciółce swoje pomysły na najróżniejsze święta i uroczyste obchody, jakie powinny znaleźć się w kalendarzu każdego królestwa.

– Dzięki, Pinkie. – Twilight Sparkle odprowadziła ją do drzwi. – Wezmę pod uwagę twój pomysł ustanowienia urodzin Gummy'ego oficjalnym świętem.

Gummy był ukochanym krokodylkiem Pinkie Pie.

– Hurra! – zapiszczała różowa klaczka. – Tak się ucieszy, jak mu powiem!

Niespodziewanie z jej zegarka rozległo się przeraźliwe dzwonienie.

– Oj, muszę lecieć! Zupełnie zapomnia-łam o imprezce powitalnej w nowym mieszkaniu Berry Punch!

Po tych słowach Pinkie Pie zaczęła weso-ło skakać przed siebie, śpiewając piosenkę:

Fajne jest nowe mieszkanko,
Ale fajniejsza jest paczka zgrana!
Dlatego zbierzmy przyjaciół
I tańcujmy razem do rana!

– W końcu! Już myślałam, że te kucyki nigdy sobie nie pójdą. – Gilda zleciała z pobliskiej chmurki i zgrabnie wylądowała obok drzwi. – Owocne spotkanko, Twilight?

– Hej! Skąd wiedziałaś o spotkaniu? – spytała podejrzliwie klaczka. To miała być tajemnica.

– Mam swoje sposoby. – Złośliwy gryf człapał powoli wokół Twilight. – Siedziałam sobie za oknem i wszystko słyszałam. Nie wygląda na to, żeby twoje przyjaciółki miały choć jeden dobry pomysł, jak urządzić królestwo…

– Co z tego? – odparowała Twilight. – Potrafisz może wymyślić coś lepszego?

– Chcę tylko powiedzieć, że jeśli to ja byłabym księżniczką, nie słuchałabym niczyich wskazówek. Robiłabym to, na co miałabym ochotę! Moje królestwo byłoby królestwem Gildy! – Zachichotała i wzbiła się w chmury, gotowa do nowych psot.

Twilight puściła jej słowa mimo uszu. Żaden kucyk nie powinien słuchać tak niegrzecznego gryfa jak Gilda. Poza tym zawsze wierzyła przyjaciółkom. Nie miała powodu, by im nie ufać. Przecież były wobec niej lojalne i szczere.

Jednak... z drugiej strony nie miały takiego doświadczenia jak ona sama. W końcu tyle lat uczyła się magii od księżniczki Celestii. Jej koleżanki nigdy też nie mieszkały w Canterlocie. Skąd miały wiedzieć, jak zachowuje się prawdziwy władca?

Weszła do domu i popatrzyła na wielką, jasnobłękitną skrzynię. W środku znajdowały się jej nowe stroje i klejnoty, które otrzymała podczas koronacji. Były jej, a jednak czuła się tak, jakby należały do kogoś innego. Wyjęła koronę z wyłożonej aksamitem szkatułki i delikatnie założyła sobie na głowę. Popatrzyła w lustro. Lśniące białe diamenty i szkarłatne rubiny skrzyły się zachwycająco. W koronie Twilight sama sobie wydawała się znacznie wyższa.

Może Gilda miała trochę racji? Może sekretem dobrego monarchy było słuchanie własnego serca, a nie wszystkich dookoła? Czy nie to powiedziała jej Cadance?

Jeśli ma być prawdziwą księżniczką, może powinna zacząć odpowiednio się zachowywać!

Wciąż bezowocne poszukiwanie Zaklęcia Kryształowego Serca zaczynało być męczące. Twilight starała się wyglądać i zachowywać jak księżniczka. Nadal jednak nie wiedziała, co zrobić, aby czar się ujawnił. Ta niewiedza zaczynała doprowadzać ją do szału!

Zdawało się jej nawet, że słyszy w głowie głosy, a to nigdy nie jest dobry znak. Na przykład dzisiaj rano na targu zapytała Cheerilee, co lepiej kupić – maliny czy jeżyny. Cheerilee zasugerowała, że w tym sezonie najlepsze są jeżyny. Twilight mogła-by przysiąc, że w tej samej chwili usłyszała głos dochodzący ze strony pobliskich skrzy-nek: „Kogo obchodzi, co ona myśli? Zasta-nów się, na co ty masz ochotę, Twilight!".

Po raz drugi usłyszała ten głos, gdy po-szła szukać klaczek ze Znaczkowej Ligi – Apple Bloom, Scootaloo i Sweetie Belle. Małe kucyki siedziały na ławce w parku i zastanawiały się, jak spędzić popołudnie. Twilight była niezadowolona, ponieważ planowała poczytać im kilka swoich ulu-bionych książek. Tymczasem członkinie Znaczkowej Ligi uparły się, że będą ska-kać na skakankach.

Twilight obserwowała właśnie, jak hałaś-liwie dokazują, gdy usłyszała szept:

– Popatrz na nie! Nie chciały cię słuchać, a przecież to ty wiesz, co jest dla nich naj-lepsze! W końcu to ty jesteś księżniczką!

Rozejrzała się, ale w pobliżu nie było ni-kogo poza bawiącymi się kucykami.

Wszystko to było bardzo dziwne. Odkąd Gilda zasugerowała, że nie powinna słuchać przyjaciółek, Twilight doszła do wniosku, że nikt poza nią samą nie ma racji. Ale czy gryf na pewno się nie mylił?

Postanowiła przejść się po lesie, żeby się trochę odprężyć. Łagodna zieleń drzew, spokój i cisza zawsze działały na nią kojąco. Samotne spacery często pomagały jej rozwiązać różne problemy.

Była jednak sama tylko przez kilka minut. Głośny trzask zasygnalizował przybycie innego kucyka.

– Tu jesteś! – zawołała Pinkie Pie spomiędzy drzew. – Wszęęęędzie cię szukałam! Muszę ci pokazać mój nowiutki plan na królewskie święta… po jednym na każdy dzień! Albo po kilka! No i możemy spędzić razem trochę czasu, jeść babeczki i robić inne odjazdowe rzeczy!

– Dzięki, Pinkie, ale teraz nie jest najlepszy moment – wyjaśniła Twilight. –

Jestem zajęta... spacerowaniem. – Wskazała pokrytą liśćmi ścieżkę przed sobą.

– Bajerancko! A za dziesięć minutek? – spytała Pinkie Pie, podskakując wesoło obok niej.

– Nie. – Paplanie różowego kucyka zaczynało działać jej na nerwy. Chciała po prostu być sama.

– Supcio! A za dwadzieścia minutek?! – Pinkie Pie wszystko traktowała jak zabawę.

Twilight nie wytrzymała.

– Nie! Jestem zajęta teraz, będę zajęta za dziesięć minut i będę też zajęta za dwadzieścia minut! Cały czas będę zajęta! – wykrzyczała. Amulet na jej szyi przygasł, wielobarwny diament pokrył się lekką mgłą. – Nie możesz zrozumieć, że nie mam czasu, by wysłuchiwać bzdur o twoich głupich przyjęciach?!

– Co? – Pinkie Pie przysiadła na ziemi. Bardzo posmutniała. – Przepraszam, że ci przeszkadzałam, Twilight. Ja tylko chciałam pomóc. Ale… skoro tak… to już sobie pójdę. Może gdzie indziej ktoś się ze mną pobawi.

– W końcu! – parsknęła szyderczo Twilight. – To pierwszy rozsądny pomysł w całym twoim życiu!

Pinkie Pie posłusznie odeszła. Idąc, zaczęła się zastanawiać, co takiego ugryzło jej przyjaciółkę. To był problem, którego nie da się rozwiązać imprezką.

ROZDZIAŁ 9

Z głową w chmurach

✶ ✶ ✶

Twilight Sparkle postanowiła zapytać Rainbow Dash, czy nie widziała gdzieś Gildy. Chociaż sportsmenka od dawna już nie przyjaźniła się z gryfem, zawsze była najlepiej zorientowana w tym, co dzieje się w Ponyville. Z lotu pegaza zawsze wszystko było lepiej widać.

Twilight pomyślała, że może ponowna rozmowa z Gildą pomoże jej ciut lepiej zrozumieć sytuację. Gryf nie powiedział jej chyba wszystkiego tamtego wieczoru, gdy podsłuchiwał rozmowę kucyków podczas tajnego spotkania. A może jednak tak? Cóż, księżniczka powinna wysłuchać każdego – postanowiła Twilight. Tym bardziej że do tej pory nie udało się jej jeszcze odnaleźć zaklęcia.

Rainbow Dash siedziała na obłoczku wysoko na niebie. Wyglądało, jakby kłóciła się z większą grupką pegazów. Nie usłyszała, gdy przyjaciółka wołała do niej z ziemi.

„Dobrze, że teraz mam skrzydła" – pomyślała Twilight i wzbiła się w górę. Przyjemna bryza rozwiała jej włosy, gdy szybowała w powietrzu. Bycie alikornem to naprawdę frajda!

– Przegnałam dzisiaj więcej chmur niż wy, ślamazary, razem wzięte! – krzyczała Rainbow Dash do innego pegaza. – Nikt nie jest tak szybki jak ja!

– Skoro jesteś taka wspaniała, Rainbow Krakso, czemu tego nie udowodnisz? Może załatwisz ten deszcz za nas? – odkrzyknął wysoki ogier zwany Hoops. Jego znaczek talentu przedstawiał trzy piłeczki baseballowe.

– Rainbow Dash! – zawołała Twilight, lecz nikt nie zwrócił na nią uwagi.

– Sami tego chcieliście! – odparowała tęczowa sportsmenka, po czym wykonała spektakularną beczkę. Błyskawicznie zgarnęła pobliski obłoczek, połączyła go z dwoma innymi i rozpędzona wpadła w sam ich środek.

Rzęsisty deszcz lunął spod potężnej chmury, którą uformowała.

– Możecie mi mówić: Dowódco Hurricane! – wykrzyknęła, szczerząc się od ucha do ucha.

– Rainbow Dash!!! – zawołała Twilight Sparkle najgłośniej, jak mogła. Dlaczego przyjaciółka jej nie słuchała? Księżniczka życzyła sobie z nią pomówić! Zirytowana zmarszczyła brwi. – Rainbow Dash, mówię do ciebie!

Sportsmenka w końcu zauważyła, że jej przyjaciółka stoi na chmurce nieopodal. Wyglądała na zagniewaną.

– Och, hej, Twilight! Chciałaś pogadać o moim odlotowym planie sformowania nowej Straży Królewskiej?

– Nie. – Przewróciła oczami Twilight i głęboko westchnęła. Wyglądało to tak, jakby udzielenie tej krótkiej odpowiedzi było dla niej bardzo wyczerpujące. – Widziałaś Gildę?

Rainbow Dash przekręciła na bok głowę. Twilight zachowywała się strasznie dziwnie. A jej naszyjnik był zupełnie wyblakły.

– Wszystko w porządku?

– Jasne, że tak! Widziałaś gryfa czy nie?

– Chyba jest na farmie razem z Trixie. Ostatnio spędzają ze sobą mnóstwo czasu.

To nic dobrego nie wróży, jeśli wiesz, co mam na myśli. Złośliwość w połączeniu z magią to wybuchowa mieszanka, nie, Twilight?

Ale Twilight Sparkle już jej nie słuchała. Natychmiast odleciała na farmę Sweet Apple. Nie powiedziała nawet dziękuję.

ROZDZIAŁ 10

Sok z mulistej wody z bagien

✶ ✶ ✶

Gęste listowie idealnie nadawało się do szpiegowania. Właśnie dlatego Twilight Sparkle często chowała się za pniami drzew lub za krzakami, gdy prowadziła badania terenowe.

Dzisiaj ukryła się za sporym krzewem rosnącym niedaleko stodoły na farmie Sweet Apple. Przez ostatnich dziesięć minut obserwowała, jak Gilda i Trixie potajemnie wytoczyły ze spiżarni beczkę świeżego soku jabłkowego. Potem wylały całą zawartość na trawę. Bul, bul, bul! Sok szybko wsiąknął w ziemię. Twilight nie mogła zrozumieć, dlaczego ktoś miałby marnować ten pyszny, cenny napój. Tymczasem złośliwa dwójka zaczęła napełniać pustą beczkę jakimś gęstym zielonym szlamem, który przypominał mulistą wodę z bagien Froggy Bottom.

– Te głupie kucyki nawet się nie zorientują, co się stało! – skomentował gryf i zaśmiał się szyderczo. – To będzie najlepszy z moich żartów!

– A kiedy jacyś nieszczęśnicy wypiją łyczek tego soczku, pojawię się ja, by cudownym zaklęciem uratować ich przed paskudnym smakiem! – zawołał triumfalnie jednorożec.

– Myślę, że będzie zabawniej, jeśli im nie pomożesz… Ale jak wolisz, Trix! – skomentowała Gilda. – Tworzymy zgraną drużynę!

Obie przybiły sobie piątkę.

– Hej! – krzyknęła zza krzaka Twilight. – Wy dwie!

Gilda i Trixie natychmiast stanęły przed beczką, starając się ukryć ją za sobą. Rozglądały się nerwowo na boki, lecz nie widziały nikogo w pobliżu. Wtem zza liści wychynęła Twilight, kilka gałązek utknęło w jej grzywie.

– A ty co? Tajna sokowa policja? – zakpiła Gilda. – Jesteś teraz na rozkazy Applejack? A może zaczęłaś wreszcie sama wydawać rozkazy jak prawdziwa księżniczka, co?

Twilight wydęła policzki. Poczuła się urażona.

– Jeśli już chcesz wiedzieć, nic mnie nie obchodzi, co robicie z tym sokiem – powiedziała. Postanowiła jednak, że później powie Babci Smith, która beczka została napełniona szlamem. – Szukałam cię, bo widzisz… ponieważ… chciałam zapytać… –

Słowa uwięzły jej w gardle. Nie była w stanie poprosić Gildy o pomoc.

Trixie z niecierpliwością tupała kopytkiem w trawę. Nadal nosiła purpurowe szaty magika i szpiczasty kapelusz przystrojony gwiazdkami.

– Wielka i Potężna Trixie nie ma całego dnia! – Wędrowna czarodziejka wciąż miała za złe Twilight, że jakiś czas temu ta ujawniła jej oszustwo przed mieszkańcami Ponyville. Tak naprawdę od tamtej pory wcale nie czuła się wielka i potężna.

– O czym mówiłaś tamtej nocy przed moim domem? – spytała w końcu Twilight.

Gryf skrzyżował szpony na piersi i wzruszył obojętnie ramionami.

– Tylko tyle, że jeśli to ja byłabym księżniczką, nie pozwoliłabym nikomu mówić mi, co mam robić. – Położyła pazurzastą łapę na ramieniu Twilight i spytała ostro: – A czego ty chcesz, Twilight Sparkle?

– Ja chcę… – zawahała się Twilight. To trochę dziwne pytać o zdanie Gildę. A jednak złośliwy gryf miał rację. Czemu traciła czas i energię na wysłuchiwanie opinii przyjaciół z Ponyville? Przecież bardzo dobrze wiedziała, gdzie odnajdzie wszystkie odpowiedzi! W jedynym miejscu, w którym czuła się swobodnie, i to bez względu na to, w jakiej części Equestrii się znajdowało. – Chcę iść do biblioteki! Do biblioteki Kryształowego Królestwa!

Gryf przytaknął z satysfakcją.

– Przyznaję, biblioteka brzmi dziwnie. Ale co tam, całe Kryształowe Królestwo jest odjazdowe! No i świetnie, księżniczko Twilight. Ty sama wiesz najlepiej, co powinnaś robić.

Chwilę później magiczny amulet zamglił się jeszcze bardziej, kolory stały się całkiem niewyraźne. Przemiana była tak nagła i subtelna, że Twilight nawet nie zwróciła na nią uwagi.

Jej oczy były teraz pełne determinacji. Wyglądała dość przerażająco...

Twilight nie mogła już myśleć o niczym innym niż o ogromnej bibliotece Kryształowego Królestwa. Znajdowały się w niej setki prastarych ksiąg! Zaklęcie musiało być zapisane w jednej z nich. Nie mogła się już doczekać, kiedy wreszcie zatopi się w lekturze. Była gotowa przeszukiwać książki tak długo, aż natrafi na jakiś ślad.

– Wielkie dzięki za pomoc – zwróciła się do Gildy i Trixie. – Natychmiast wybieram się do Kryształowego Królestwa! – Rozpostarła skrzydła i wzbiła się wysoko w chmury.

– Ale czad! Lecę z tobą! – zawołał gryf, szybując w ślad za nią. – Naprawdę wszystko jest tam zrobione z kryształów? Ciekawe, jakie są tamtejsze kucyki! – Gilda już wyobrażała sobie nowe ofiary swoich niecnych żartów. Ależ to będzie zabawne!

– Trixie też z wami pójdzie! – zawołał jednorożec, galopując pod nimi. Całe królestwo, które nie doświadczyło jeszcze jej, Wielkiej i Potężnej, sztuki magicznej! Będzie cudownie!

Niegodziwa dwójka podążała za Twilight Sparkle, która mknęła w przestworzach wysoko nad Ponyville. Nie zwracała uwagi na nic, co stało na jej drodze.

Fluttershy prowadziła właśnie klucz malutkich kaczątek nad jezioro. Nagle zobaczyła zbliżającą się przyjaciółkę.

– Och, cześć, Twilight! – zawołała cichutko i pomachała kopytkiem. – Tak się cieszę, że cię widzę! Wiesz, mam kilka nowych pomysłów na rezerwat dla małych zwierzątek i...

Jednak Twilight nawet na nią nie spojrzała i śmignęła wprost przez stadko kaczątek. Pędziła tak szybko, że podmuch jej skrzydeł rozwiał piękną różową grzywę Fluttershy.

Rarity, która widziała wszystko z dołu, była zszokowana! Kim był ten nieczuły kucyk i co zrobił z ich najlepszą przyjaciółką Twilight Sparkle? Ona nigdy by się tak nie zachowała. Zawsze zatrzymywała się, żeby porozmawiać z przyjaciółmi. Nagle Rarity dostrzegła, że klejnot z astralnej poświaty w amulecie na szyi Twilight stał się wyblakły i zmętniał. To bardzo zły znak.

– Och, Fluttershy! – zawołała, galopując do miejsca, w którym wylądowała nieśmiała klaczka. Miała przy sobie wielki szkicownik. Cały ranek spędziła, rozrysowując projekty ubrań dla poddanych Twilight. Chociaż boczyła się na przyjaciółkę po ich tajnym spotkaniu, tak naprawdę bardzo chciała jej pomóc.

– Myślisz, że mnie nie zauważyła? – spytała smutno Fluttershy. – Twilight specjalnie nigdy by nikogo nie zignorowała, prawda?

Zanim Rarity zdążyła powiedzieć jej o naszyjniku, z góry dobiegł je skrzekliwy głos Gildy:

– Twilight Sparkle wreszcie zachowuje się jak prawdziwa księżniczka! Leci do Kryształowego Królestwa! Nie potrzebuje głupich kucyków z Ponyville, ciągle zawracających jej głowę. Odczepcie się od niej! – Po tych słowach poszybowała za Twilight.

Rarity i Fluttershy popatrzyły zatroskane na siebie.

– Musimy znaleźć Spike'a – zdecydowała Rarity, spoglądając w ślad za odlatującym gryfem. – On będzie wiedział, co robić.

ROZDZIAŁ 11

WSZYSCY
za jednego

✦ ✶ ✦

W Bibliotece Złotego Dębu paliły się
światła, zupełnie jakby ktoś był w środku.
Jednak Rarity i Fluttershy już od dłuższe-
go czasu pukały do drzwi, a wciąż nie było
odpowiedzi.

– Czy jest ktoś w domu? – spytała cichutko Fluttershy.

– W ten sposób nigdy nie przyciągniesz
jego uwagi – prychnęła Rarity. – Patrz na

mnie i ucz się, skarbie. – Wyprostowała się i odchrząknęła głośno. – Spiiiiike, jesteś taaaaam? – zawołała słodkim głosem prosto w jedno z okien.

Ułamek sekundy później Spike otworzył drzwi.

– Cześć, Rarity!

Fluttershy nie spodobało się, że smok ją zignorował. Wszyscy wiedzieli, że był po uszy zadurzony w Rarity. Ale przynajmniej wreszcie otworzył drzwi. Trzymał w łapce ogromne pudło lodów, a jego oczy były zaczerwienione, jakby niedawno płakał.

– Czy wszystko w porządku? – spytała Fluttershy.

– Twilight znowu zostawiła mnie samego! – Zaszlochał Spike. – Wybrała się do Kryształowego Królestwa i nie powiedziała ani słowa! Dowiedziałem się dopiero od Cranky'ego Doodle Osła. Przechodził obok farmy Sweet Apple w drodze do domu i usłyszał, jak rozmawiała o tym z Gildą i Trixie.

– Niestety, to prawda – potwierdziła Rarity, wchodząc do środka. – Dopiero co widziałyśmy, jak odlatuje.

– Nie powiedziała nawet do widzenia – dodała Fluttershy. – Tylko ziuuu! I już jej nie było.

– Chyba wszyscy zgadzamy się, że Twilight zachowywała się dzisiaj tak, jakby nie była sobą – powiedziała Rarity, a Spike i Fluttershy pokiwali głowami. – I myślę, że to wina jej nowego amuletu.

– Hę? – Mały smok i nieśmiały pegaz byli całkiem zdezorientowani.

– To właśnie o tym chciałam opowiedzieć na naszym tajnym spotkaniu. Astralna poświata to prześliczny kamień, ale może być też bardzo niebezpieczny. Pochłania i wzmacnia wszystkie uczucia. Jeśli kucyk, który go nosi, odczuwa gniew i zwątpienie, amulet sprawi, że będzie się on czuł coraz gorzej!

– Och, nie! – pisnęła Fluttershy. – Biedna Twilight!

– Wiedziałem, że to nie jej wina! – Spike z przejęcia aż podskoczył do góry. – Musimy ją ratować! Razem?

– Razem! – zawołały obie przyjaciółki.

Wszyscy zgodnie przytaknęli. Teraz musieli tylko znaleźć Rainbow Dash, Applejack i Pinkie Pie. Im szybciej wyjaśnią im sytuację, tym szybciej będą mogli wyruszyć Ekspresem Przyjaźni do Kryształowego Królestwa z misją ratunkową.

ROZDZIAŁ 12

Jasne
jak kryształ

✦ ✦ ✦

– Nie obchodzi mnie, co zamierzacie robić, jasne? – warknęła Twilight do Gildy i Trixie. – Nie wchodźcie mi w drogę i nie sprawiajcie kłopotów!

Była już niedaleko biblioteki, gdy księżniczka wpadła na brata.

– Twilight? Myślałem, że wróciłaś do Ponyville! – Shining Armor był przyjemnie zaskoczony.

– Wróciłam i jestem z powrotem! – powiedziała Twilight, przestępując z kopytka na kopytko. Chciała jak najszybciej zagłębić się w księgach. W nich na pewno znajdzie rozwiązanie!

– Rewelacyjnie! Powinnaś zjeść ze mną i z Cadance obiad na zamku! – Shining Armor uśmiechnął się szeroko.

– Chętnie, ale dzisiaj nie mam czasu… może jutro. Muszę lecieć! Pogadamy później! – zawołała Twilight i pogalopowała przed siebie.

Zaskoczony starszy brat patrzył, jak siostra gna w dół ulicy. Skręciła za rogiem. Przecież zawsze cieszyła się, gdy go widziała. Zachowywała się dzisiaj naprawdę dziwnie, ta jego ukochana młodsza siostrzyczka…

Shining Armor zawrócił do zamku. Musiał natychmiast znaleźć żonę!

Otoczona setkami książek Twilight czuła się zupełnie jak w domu. Spragnionym spojrzeniem pochłaniała stronice czwartego tomu *Starożytnych czarów Kryształowego Królestwa*. Gdy w pierwszych trzech nie znalazła nic konkretnego, trochę podupadła na duchu, ale szybko wzięła się w garść. W którejś z tych ksiąg na pewno zapisano Zaklęcie Kryształowego Serca!

– Twilight, jesteś tu? – dobiegł ją nagle głos księżniczki Cadance, odbijający się echem od ścian przepastnej biblioteki.

Shining Armor od razu opowiedział jej o nietypowym zachowaniu siostry. Coś było nie w porządku i jego żona z pewnością mogła pomóc.

– Tak! Tutaj! – zawołała Twilight zza muru, który zbudowała z książek. Wcale nie chciała teraz widzieć Cadance. Wstydziła się, że do tej pory nie udało się jej znaleźć zaklęcia.

Pomiędzy wieżami z ksiąg pojawiła się głowa jej starszej przyjaciółki.

– Och, nie, Twilight... – Zatroskana Cadance potrząsnęła grzywą. – Jest tak, jak podejrzewałam.

– Co takiego? – jęknęła Twilight. – Czy to, że jestem nieudacznikiem? Księżniczka, która nie ma żadnych zdolności przywódczych, tak? – Zwiesiła smutno głowę. – Celestia po prostu powinna odebrać mi koronę.

– Nie, nie, nie. Nie jesteś nieudacznikiem. – Cadance pokręciła głową. Wskazała kopytkiem na amulet z astralnej poświaty. Blask klejnotu zupełnie zanikł. – Zobacz! Byłaś tak zła na samą siebie i na inne kucyki, że medalion zaczął wzmacniać twoje negatywne uczucia!

Młoda księżniczka spojrzała na klejnot. Była całkiem zaskoczona.

– Nawet nie zauważyłam, że aż tak się zmienił...

Nagle pomyślała o przyjaciołach w Ponyville. Rarity próbowała ją ostrzec, ale ona była tak zaabsorbowana poszukiwaniem zaklęcia, że nie zwróciła na to uwagi.

Właściwie odrzuciła wszystkie pomysły, które podsunęły jej koleżanki. Przypomniała sobie o Dniu Ciasta Pinkie Pie, rodzinnej kolacji Applejack, pegaziej Straży Królewskiej Rainbow Dash, rezerwacie dla malutkich zwierzątek Fluttershy i stylowych ubraniach dla mieszkańców królestwa zaproponowanych przez Rarity. Te sugestie nie były w zasadzie takie złe. Przyjaciółki próbowały jej pomóc. Przecież sama je o to prosiła. I jak im podziękowała? Zupełnie je ignorując i myśląc tylko o sobie.

– Och, Cadance, byłam taka niemiła dla moich najlepszych kumpelek! – powiedziała, wstając gwałtownie. Kilka książek się przewróciło, rozsypały się jak domek z kart. – Przez cały czas myślałam tylko o tym, czego ja chcę. Nie chciałam słuchać, co inni mają do powiedzenia! – Naszyjnik rozbłysł wątłym światłem. – Muszę je natychmiast przeprosić!

Księżniczka Cadance uśmiechnęła się, gdy Twilight galopem wypadła z biblioteki. Wiedziała, że jej młodsza przyjaciółka jest znowu na właściwej drodze.

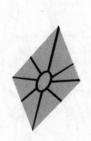

ROZDZIAŁ 13

Przyjaciółce na odsiecz

* * *

– Jak myślicie, gdzie ona może być? – spytała Applejack.

Smok i pięć kucyków przeszło przez główną bramę Kryształowego Królestwa. Ostatnim razem przyjaciele byli tu podczas Kryształowego Jarmarku. Miasto było równie piękne i pełne blasku co wtedy.

Rarity westchnęła z rozmarzeniem, delektując się olśniewającym widokiem.

– Ach, dlaczego nie urodziłam się kryształowym kucykiem? – Przypomniała sobie, jak na pewien czas, gdy odzyskały Kryształowe Serce, jej sierść stała się bajecznie błyszcząca. Był to jednak tylko tymczasowy efekt.

– Co to? – Pinkie Pie wskazała spory tłum, który zebrał się w pobliżu fontanny. – Wygląda zabawnie! Idę zobaczyć!

Wtem oślepiająco jasny błysk rozświetlił niebo. Zaraz potem rozległ się głośny dźwięk. Dochodził od strony gromadki stojącej przy fontannie.

– Chodźcie, dziewczyny! – Applejack ruszyła przodem.

Farmerka przepchnęła się przez tłum. Jej oczom ukazał się wielki namiot w czerwono-białe pasy. Po obu stronach wisiały plakaty, sławiące niezwykły magiczny talent WIELKIEJ I POTĘŻNEJ TRIXIE – CZARODZIEJKI NADZWYCZAJNEJ. Z przodu na starej skrzynce po jabłkach stała Gilda.

– Zapraszam! Zapraszam tu wszystkie kryształowe kucyki! – wołał gryf. – Kupujcie bilety! Zobaczcie najbardziej utalentowanego jednorożca w całej Equestrii. Zobaczcie Wielką i Potężną Trixie! Tylko trzy monety!

Żółta klacz o złotej grzywie wręczyła Gildzie pieniądze i weszła do namiotu. Pinkie Pie przyglądała się wszystkiemu z szeroko otwartymi oczami.

– Oooooch! Możecie mi pożyczyć trzy pieniążki, dziewczyny?! – Podskakiwała z podekscytowania.

– One nie wiedzą, że to oszustwo? – spytała Rainbow Dash. – Nie mogę w to uwierzyć!

Gilda dalej zachwalała spektakl, nieświadoma, że kucyki z Ponyville stały wśród tłumu.

– Trixie jest tak potężna, że bez niczyjej pomocy, zupełnie sama, pokonała Wielką Niedźwiedzicę!

Kilka innych kryształowych kucyków zapłaciło za wstęp i weszło do namiotu.

– Hej, to nieprawda! – zaoponowała cichutko Fluttershy. – To była Twilight! No... w każdym razie poskromiła Małą Niedźwiedzicę.

– Nie mogę już na to patrzeć! – Applejack wyszła przed zbiegowisko i wskoczyła na drugą skrzynię. – Kryształowe kucyki, nie marnujcie pieniędzy na to oszustwo! Ten gryf i jednorożec to szarlatani, którzy chcą was okraść!

Pełen zaniepokojenia szmer przebiegł przez tłum.

– Co ty tu robisz?! – zaskrzeczała Gilda i rozpostarła skrzydła. – Najpierw nie dociera do was, gdy księżniczka Twilight każe wam spływać, a teraz psujecie nasze przedstawienie? Wasza banda to najgorsza zakała Equestrii!

Trixie wyjrzała przez płachtę namiotu. Była ciekawa, co to za zamieszanie. Kryształowe kucyki przyglądały się zdumione. Zapowiadał się lepszy spektakl, niż oczekiwały!

– Nikt was tutaj nie chce! – krzyknął mściwie gryf.

Nie mógł być w większym błędzie...

– To nieprawda! – doleciał z tłumu mocny głos, ucinając kłótnię. – To moje najlepsze przyjaciółki! – Twilight przebiła się przez tłum kryształowych kucyków i stanęła przy koleżankach. – Co wy tu robicie? – Nie mogła uwierzyć, że przyjechały specjalnie dla niej.

– Jak to co? Przybyłyśmy na ratunek, głuptasie! – odparła rzeczowo Pinkie Pie.

– Powiedziałam im o naszyjniku – wyjaśniła Rarity. – Wiedziałyśmy, że nie jesteś sobą!

– Twilight, którą znamy, nigdy nie byłaby niemiła dla swoich przyjaciół! – dodała Fluttershy.

– Chyba nie zamienisz nas na te dwie? – Rainbow Dash wskazała na Gildę i Trixie, które sprzeczały się, co mają w tej sytuacji robić.

– Tak bardzo was przepraszam! Myślałam, że słuchanie własnego serca oznacza, że zawsze powinnam sama decydować o wszystkim. – Twilight uśmiechnęła się, a amulet rozjarzył się silniejszym blaskiem. – Teraz wiem, że nie jest najważniejsze, jak księżniczka urządzi swoje królestwo. Liczy się przede wszystkim to, jak traktuje innych, a szczególnie najbliższych przyjaciół! – Objęła kucyki w gorącym, wspólnym uścisku. – Księżniczki czy nie, wszystkie jesteśmy sobie równe!

– Ojej, Twilight! – westchnęła głośno Rarity. – Spójrz na swój naszyjnik!

Rzeczywiście! Medalion skrzył się tak jasno jak nigdy przedtem. Ciepłe światło pulsowało niczym prawdziwe serce. Stojące w pobliżu Kryształowe Serce również zaślśniło mocniej, zupełnie jakby oba klejnoty łączyła niewidzialna więź. Kucyki patrzyły urzeczone, jak ogromna, mieniąca się tęcza wystrzeliła wprost z Kryształowego Serca i dotknęła brylantu na szyi Twilight.

– Oooooooch! – zawołał zafascynowany tłum.

– Hej, patrzcie! – krzyknęła Rainbow Dash. – W Kryształowym Sercu pojawiły się słowa!

Twilight od razu zrozumiała. Zaklęcie Kryształowego Serca w końcu się ujawniło. Podeszła bliżej, żeby lepiej przyjrzeć się rozjarzonym złotym literom. Wzięła głęboki oddech i przeczytała na głos:

Przyjaźń to ogromna Siła,
To ona nas razem połączyła!
W rządach jest ważna wielce,
Więc patrz w Swe Kryształowe
Serce!

Sierść Twilight rozbłysła, gdy ją samą ogarnęła magiczna moc. „Oczywiście! – pomyślała, czytając słowa czaru. – Przyjaźń zawsze była odpowiedzią na wszystkie problemy. Czemu miałoby się to zmienić, kiedy zostałam księżniczką?". Rozejrzała się wkoło. Kryształowe kucyki wiwatowały na jej cześć, przy niej stały jej najlepsze przyjaciółki, a jej brat i Cadance patrzyli na nią z dumą.

Po raz pierwszy w życiu poczuła się jak prawdziwa księżniczka.

– Szczęśliwego Dnia Ciasta! – wołała śpiewnie Pinkie Pie, wesoło i z zapałem skacząc przez Ponyville.

Po powrocie z Kryształowego Królestwa Twilight postanowiła wypróbować sugestie przyjaciółek. Chciała w ten sposób przygotować się na dzień, w którym zostanie prawdziwym przywódcą. Jak na razie wszystko układało się wyśmienicie! Gdziekolwiek nie spojrzała, rodziny kucyków ze smakiem zajadały się ciastem i babeczkami z kryształowymi jagodami.

– Wesołego Dnia Ciasta! – pozdrawiali siebie nawzajem mieszkańcy Ponyville.

Członkinie Znaczkowej Ligi przygotowały nawet ogromny transparent z napisem: DZIEŃ CIASTA PONYVILLE! i wywiesiły go na ratuszu.

– To fantastyczny pomysł, księżniczko Twilight! – zawołał pan Cake, który ciągnął swój cukrowy powóz. – Te kryształowe jagodzianki sprzedają się jak świeże bułeczki!

– Ależ to są bułeczki, kochanie! – Roześmiała się pani Cake.

– Nie mnie należą się podziękowania! – odparła Twilight, kierując się w stronę przyjaciółek. Siedziały na trawie, wesoło pałaszując jagodzianki. – Podziękujcie Pinkie Pie! Ona ma zawsze świetne pomysły!

Ugryzła kawałek jagodowej babeczki, przytrzymując kopytkiem koronę, aby nie spadła jej z głowy. Wciąż się do niej nie przyzwyczaiła, ale kucyki z miasteczka lubiły, gdy ją zakładała.

– Właściwie wszystkie moje przyjaciółki mają wspaniałe pomysły!

Rarity zachichotała i puściła do niej oczko.

– To zupełnie tak jak ty, księżniczko Twilight. Tak jak ty.

Kochana Czytelniczko,

przygotowałam ten dodatek
specjalnie dla Ciebie!
Baw się dobrze i pamiętaj,
że możesz rozwiązać
te zadania razem
z kumpelkami!

Twoja przyjaciółka,
Twilight Sparkle

LISTY PRZYJAŹNI

Twilight Sparkle pojechała do Ponyville,
by na polecenie mądrej i pięknej księżniczki Celestii
zgłębiać tajniki Magii Przyjaźni. Za każdym razem,
gdy odkryła coś nowego, wysyłała swojej nauczycielce
list ze sprawozdaniem. Uzupełnij poniższy tekst –
napisz własny list do księżniczki Celestii
i opowiedz jej o swoich przyjaciołach!

Droga księżniczko Celestio!

Moi przyjaciele nazywają się _____

_____.

Razem lubimy _____,

_____,

i _____.

Film, który najbardziej lubimy razem
oglądać, to _____.

Najlepsze w naszej przyjaźni jest to, że

_____!

Chciałabym też powiedzieć, że

_____

_____.

Twoja wierna uczennica,

_____

ZDOBĄDŹ ZNACZEK TALENTU

Młody kucyk, który odkrył swoje powołanie, zdobywa znaczek talentu! W czym ty jesteś najlepsza? A może twoje przyjaciółki mają jakieś wyjątkowe talenty? Uzupełnij poniższą tabelkę i zaprojektuj własne znaczki talentu!

Imię	Hobby	Ulubione kolory	Znaczek talentu
Twilight Sparkle	magia, czytanie, obserwacja gwiazd	fioletowy, różowy	
Fluttershy	opieka nad zwierzętami	różowy, żółty	
Ola *(tu wpisz swoje imię)*	Malowanie i koty	Niebieskie srebrny czerwony czarny	
(tu wpisz imię przyjaciółki)			
(tu wpisz imię przyjaciółki)			

RZUĆ ZAKLĘCIE

Twilight Sparkle zna mnóstwo czarów na najróżniejsze okazje. Niestety, nie wszystko da się osiągnąć za pomocą magii. Gdybyś miała stworzyć własne zaklęcie, jak by ono brzmiało? Zapisz je w ramce poniżej.

Nazwa zaklęcia _Desier_

Stworzone przez _Fire-Death Heart_

Powoduje _że dom się zapali._

Ten czar jest: (zaznacz po jednym słowie w każdym rzędzie)

śmieszny　　**zabawny**　　**poważny**

łatwy　　**średnio trudny**　　**trudny**

Słowa należy wypowiadać: (zaznacz jedno słowo)

cicho　　**normalnie**　　**głośno**

bardzo głośno

Słowa zaklęcia należy powtórzyć __1__ razy.

Zapisz słowa czaru tutaj:

Hayres prxsgl squigl hpthrx
Sahy twilit sprkd aplijk
mbwdsh rrty fhtrhy prikipi
prxlgxvgnl rufftuff fire.

ZNIKAJĄCE SŁOWA

Twilight przygotowuje nowy czar, ale niektóre ze słów nagle zniknęły! Pomóż jej i odszukaj w poniższej wykreślance brakujące słowa.

P	O	N	Y	V	I	L	L	E	Z
T	R	A	S	P	I	K	E	D	A
W	A	U	E	D	K	W	B	I	O
I	T	K	R	Y	S	Z	T	A	Ł
L	S	A	C	N	I	S	R	D	C
I	W	O	E	Ę	A	I	E	T
G	I	L	D	A	G	F	X	M	K
H	O	B	C	Z	A	R	I	L	A
T	C	I	A	S	T	O	E	N	C

DIADEM   CIASTO   TWILIGHT
SPIKE   CZAR   KSIĘGA   TRIXIE
PONYVILLE   KRYSZTAŁ   NAUKA
GILDA   SERCE

GWIAZDY WŚRÓD KSIĄŻEK

Twilight Sparkle kocha książki tak bardzo,
że zdecydowała się zamieszkać w bibliotece!
Poniżej wpisz tytuły książek, które właśnie czytasz.
Za każdym razem, gdy skończysz książkę, oceń ją,
dorysowując obok tytułu gwiazdki. Cztery gwiazdki
oznaczają, że książka bardzo ci się podobała!

Twilight Sparkle
i Zaklęcie Kryształowego Serca ☆☆☆☆

_____

_____

_____

_____

_____

_____

_____

_____

PRZYJACIELSKA RADA

Gdy Twilight Sparkle ma poważny problem,
prosi o pomoc księżniczkę Cadance. Jej starsza
przyjaciółka zawsze potrafi mądrze doradzić.
A do kogo ty zwracasz się o pomoc? I dlaczego?
Poniżej napisz kilka zdań o osobie, na którą zawsze
możesz liczyć. Może to twoja przyjaciółka,
członek rodziny lub nauczyciel?

PRZYGODY DZIELNEJ DO

Twilight lubi naukę, ale jeszcze bardziej uwielbia zatopić się w ciekawej powieści. Szczególnie chętnie czyta książki o Dzielnej Do, znanej kucykowej poszukiwaczce przygód. Na kolejnych stronach napisz własną emocjonującą opowieść o Dzielnej Do!

Pewnego razu Dzielna Do...

Wylądowała w dziurze z wodae.

_____

_____

_____

_____

_____

_____

_____

_____

_____

_____

_____

Koniec!

Noś go z dumą

Twilight Sparkle bardzo się cieszyła, gdy dostała piękny naszyjnik z medalionem od księżniczki Cadance. Czy ty też masz jakiś ulubiony naszyjnik? A może bransoletkę, pierścionek lub kolczyki? Co sprawia, że twój skarb jest naprawdę wyjątkowy? Narysuj go lub napisz o nim kilka słów.

_____

_____

_____

_____

KUCYKOWY GALIMATIAS

Twilight czuła się zagubiona. Długo i bezskutecznie poszukiwała wskazówki, jak być dobrą księżniczką. Na szczęście na ratunek przybyli jej przyjaciele! Odszyfruj ich imiona i zapisz je poprawnie.

1. ARNBWIO SHDA

   Rainbow dash

2. C J P K L E P A A

   Applejack

3. YIARRT

   Rarity

4. YTHUFLSERT

   fluttershy

5. PSKIE

   Spike

6. IEPIKN IEP

   pinkie pie

KUCYKOWY QUIZ

Twilight jest bardzo szczęśliwa, że mieszka z przyjaciółkami w Ponyville, ale lubi też podróżować i poznawać nowe miejsca. Przeczytaj poniższe wskazówki i odgadnij nazwy miejsc, które odwiedzili twoi kucykowi przyjaciele.

1. W tym podniebnym mieście zbudowanym w chmurach żyją pegazy.

   Cloudsdale

2. Wielkie miasto, do którego pojechała kiedyś Applejack, żeby odwiedzić ciocię i wujka Orange.

   Manehattan

3. Wspaniała stolica Equestrii.

   Mieszka tam księżniczka Celestia.

   Canterlot

4. Przepiękne, błyszczące królestwo,

   którym władają Shining Armor

   i księżniczka Cadance.

   Kryształowe królewstwo

5. Tajemniczy, mroczny las, w którym

   znajduje się chatka zebry Zecory.

   Las Everfree